Temos mais sucesso quando estamos mais felizes e somos mais positivos.

pág. 26

O jeito Harvard de ser feliz - Shawn Achor

Benvirá

Hoje eu sinto gratidão por...

Antes do potencial vem a motivação. Antes da motivação vem a emoção. E, antes da emoção, vem a sua *realidade*.

pág. 19

Hoje eu sinto gratidão por...

Não avançamos mais rápido sozinhos; somos melhores juntos.

pág. 17

Hoje eu sinto gratidão por...

A prática diária da gratidão é um exemplo de uma fortaleza mental.

pág. 147

Hoje eu sinto gratidão por...

Ser feliz não é acreditar que não precisamos mudar, é perceber que podemos.

pág. 36

Hoje eu sinto gratidão por...

Uma pessoa não tem como estar bem se toda a comunidade não estiver bem.

Hoje eu sinto gratidão por...

Às vezes as realidades mais valiosas podem resultar da incorporação da realidade dos outros à nossa.

pág. 79

Hoje eu sinto gratidão por...

Cada minúsculo movimento na direção de uma atitude mental positiva pode propagar ondas de positividade por toda a nossa organização, família e comunidade.

pág. 215

Hoje eu sinto gratidão por...

Manter uma orientação flexível nos possibilita ver diferentes abordagens, soluções e recursos que, de outro modo, poderíamos ter deixado passar.

pág. 104

Hoje eu sinto gratidão por...

O melhor elogio é uma mudança de comportamento.

pág. 112

Hoje eu sinto gratidão por...

Ajudar os outros a ver sentido na vida pessoal e profissional deles não reduz, e sim expande, a sua capacidade de encontrar sentido na sua própria vida.

pág. 102

Hoje eu sinto gratidão por...

Se não aprender a mudar sua realidade, jamais terá uma verdadeira inspiração.

pág. 244

Hoje eu sinto gratidão por...

Cada contratempo vem acompanhado de alguma oportunidade de crescimento que podemos nos treinar a perceber e aproveitar.

pág. 120

Hoje eu sinto gratidão por...

Os elogios são um recurso renovável.

pág. 107

Hoje eu sinto gratidão por...

Quanto mais recíproco for o relacionamento, maior será seu impacto sobre a nossa felicidade, o nosso engajamento e a nossa criatividade.

pág. 74

Hoje eu sinto gratidão por...

As realidades positivas contagiam em uma via de mão dupla.

pág. 210

Hoje eu sinto gratidão por...

As pessoas que conseguem utilizar o infortúnio para encontrar o caminho que as leva a perceber oportunidades na adversidade.

pág. 120

Hoje eu sinto gratidão por...

Um cérebro temeroso que dá importância demais ao negativo passará o tempo todo fugindo do sucesso.

pág. 189

Hoje eu sinto gratidão por...

A infelicidade pode adorar ter companhia, mas a positividade não consegue sobreviver sozinha.

pág. 198

Hoje eu sinto gratidão por...

Você é o que você lê.

pág. 67

Hoje eu sinto gratidão por...

Quando as pessoas ao nosso redor são criativas e inteligentes, acabamos sendo mais criativos ou inteligentes do que antes.

pág. 42

Hoje eu sinto gratidão por...

Pequenos sucessos podem se somar e se transformar em grandiosas realizações. Basta traçar o primeiro círculo na areia.

pág. 151

Hoje eu sinto gratidão por...

Não se esqueça de que as realidades mais valiosas são ao mesmo tempo positivas e verdadeiras.

pág. 108

Hoje eu sinto gratidão por...

Você pode ser uma estrela, só não pode ser uma estrela solitária.

pág. 42

Hoje eu sinto gratidão por...

Uma realidade positiva não compartilhada é efêmera. Uma realidade positiva compartilhada é genial.

pág. 201

Hoje eu sinto gratidão por...

Para se expandir, o poder precisa ser reconhecido, desejado e reforçado.

pág. 85

Hoje eu sinto gratidão por...

Diante de um desafio ou uma tarefa difícil, dê a si mesmo uma vantagem competitiva instantânea concentrando-se em todas as razões pelas quais você sairá vitorioso.

pág. 85

Hoje eu sinto gratidão por...

Quanto melhor seu cérebro souber usar sua energia para focar nos aspectos positivos, maiores serão suas chances de sucesso.

pág. 22

Hoje eu sinto gratidão por...

Quanto mais você estender o seu poder às pessoas ao seu redor, maior será o seu poder.

pág. 100

Hoje eu sinto gratidão por...

Quando estamos em meio a um incêndio, contar com os outros é a nossa melhor chance de encontrar a saída do labirinto.

pág. 199

Hoje eu sinto gratidão por...

Tudo o que fazemos, na vida profissional e na pessoal, é decidido em grande parte pela realidade que percebemos, ou por nossa mentalidade.

pág. 28

Hoje eu sinto gratidão por...

Ajudar os outros a melhorar eleva o nosso sucesso a um novo patamar.

pág. 20

Hoje eu sinto gratidão por...